D1211309

ISBN 978-2-211-03726-6

Loi numéro 49 956 du 16 juillet 1949 sur les publications
destinées à la jeunesse : janvier 1996
Dépôt légal : janvier 2013
Imprimé en France par Clerc SAS à Saint-Amand-Montrond

CLAUDE BOUJON

# Ah ! Les bonnes soupes

lutin poche de l'école des loisirs
11, rue de Sèvres, Paris 6e

Quand la sorcière Ratatouille se compara
à la photo du magazine, elle se trouva moche.
« Je vais me transformer », décida-t-elle.
« Grâce à mes recettes magiques, je deviendrai
plus belle que cette fille de papier. »

Elle relut tous ses recueils de cuisine pour découvrir la préparation nécessaire à son projet.
Elle ne trouva rien.
« Il n'y a que des mixtures pour changer des princesses en cornichons ou en crapauds », constata-t-elle.
Elle décida donc de créer sa propre recette.

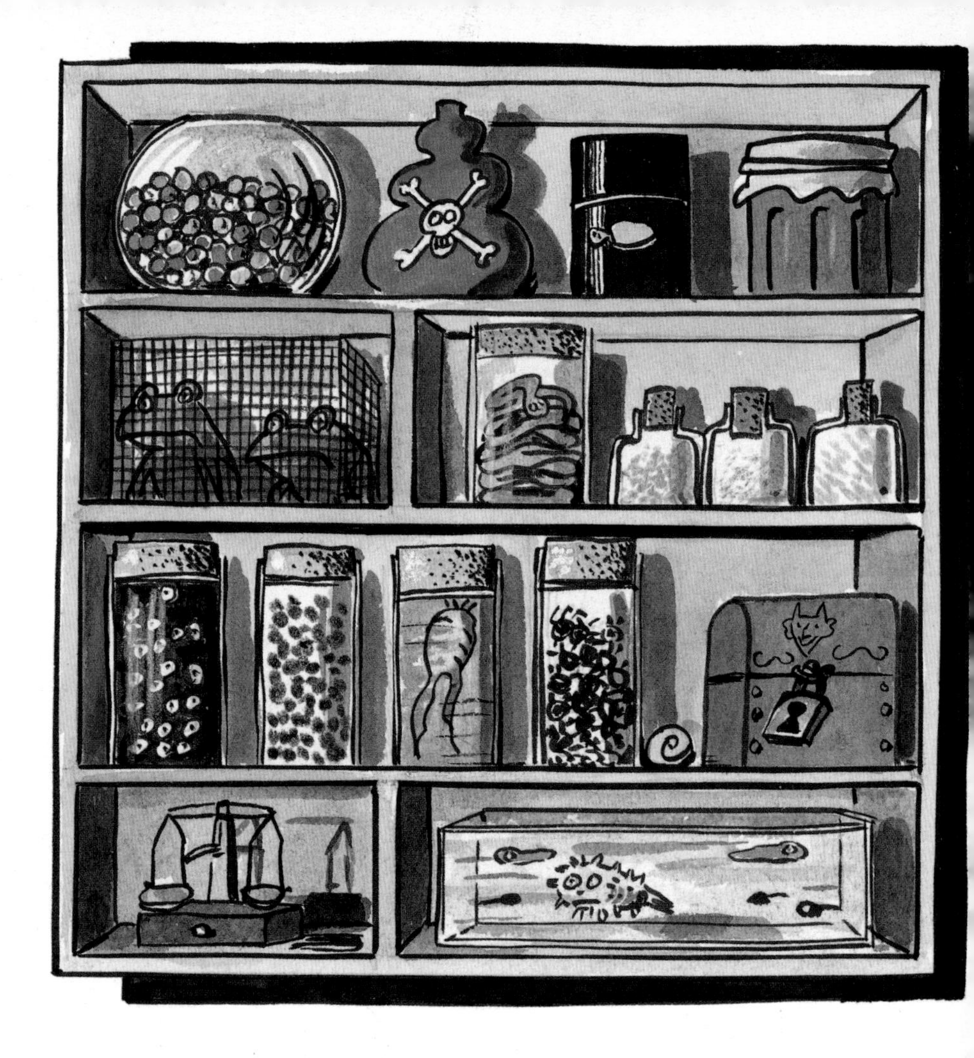

Elle fit l'inventaire de ses étagères.
Des poisons subtils, des poussières d'étoiles,
des végétaux étranges, des confitures bizarres,
des crottes diverses, des insectes, des vers
et autres animaux connus ou inconnus
étaient en place, prêts à servir.

Elle se mit au travail. La lumière brilla toute la nuit,
une grosse fumée noire sortait de la cheminée.
Ratatouille était à ses fourneaux.

Dans le grand chaudron, elle mélangea
des pommes de terre, des carottes,
des navets, des trucs et des machins.
Puis elle chantonna en remuant la mixture :
« *Bouillonne, bouillonne, ma bonne soupe,*
*Pour que bientôt, dans ma gamelle,*
*Se trouve ce qui me fera belle,*
*Des cheveux jusqu'à la croupe.* »

Sur le fourneau à gaz, dans une casserole, elle mit des pois,
des haricots, quelques gouttes de ci, des morceaux de ça.
Puis elle déclama en surveillant la cuisson :

*« Fais mitonner, petite casserole,*
*Cette soupe, ce potage, ce mélange,*
*Et, que le diable en rigole,*
*Ça me donnera le visage d'un ange. »*

Dans le four à micro-ondes, elle installa sur un plat rond
du ci, du ça, du ceci, du cela, des trucs machins,
des machins trucs, et encore d'autres choses, plus un oignon.
Puis elle susurra en appuyant sur le bouton :
« *Chère petite machine électrique,*
*À toute vitesse, en un tour de main,*
*Cuis cette composition unique*
*Qui me rendra belle demain.* »

Elle renouvela l'opération avec d'autres ingrédients et, quand tout fut cuit et servi, elle se trouva devant six assiettes diversement appétissantes.

Elle se saisit d'une grande cuillère, la plongea dans une des assiettes, ouvrit une énorme bouche et… s'arrêta tout net. « Et si je m'étais trompée », se dit-elle, « et si je m'empoisonnais ? Prudence, prudence. »

Elle posa les assiettes sur un grand plateau
et parcourut la maison en criant :
« Petits, petits, qui veut de la bonne soupe ?
Dépêchez-vous, il n'y en aura pas
pour tout le monde. Pressons, pressons. »

Elle en donna une au chat.
Il devint sur-le-champ
électrique.

Elle en donna une aux chauves-souris.
Elles perdirent le nord immédiatement.

Elle en donna une aux crapauds.
Ils firent, dans la minute,
des bulles multicolores.

Elle en donna aussi une à la souris.
Elle se prit tout à coup pour une vedette de cinéma.

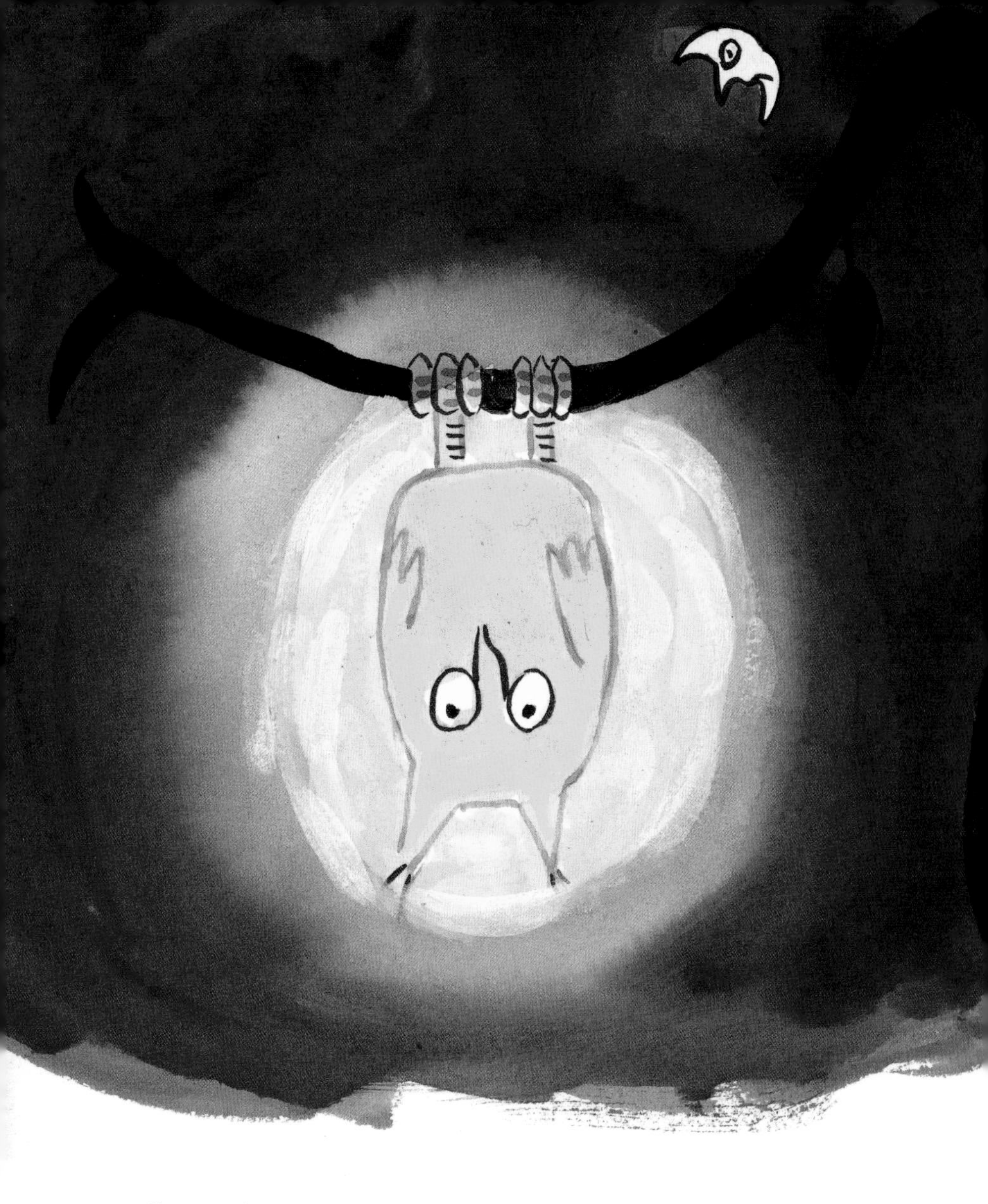

Elle en donna même au hibou, à l'extérieur de la maison.
Il se transforma soudain en lampion lumineux.

« Tout s'annonce à merveille »,
se réjouit Ratatouille. Elle enferma
les petits gourmands dans l'armoire.
« Demain, les soupes auront produit tous leurs effets.
À mon tour j'en mangerai », ajouta-t-elle, très satisfaite.

Le cœur léger, elle alla se coucher.
Elle rêva aux merveilleux
lendemains qui se préparaient.

Dès qu'elle fut levée, elle alla ouvrir l'armoire.
« Horreur ! » s'écria-t-elle en reculant d'effroi,
« j'ai raté mon coup. »

Le chat,
les chauves-souris,
les crapauds, la souris,
le hibou s'étaient
transformés en autant
de copies d'elle-même.
Sept mini-Ratatouille
regardaient Ratatouille.
« On a faim ! » dirent
les petites sorcières.

« On veut de la soupe ! » exigèrent-elles en chœur
en s'installant autour d'une assiette géante.
« De la soupe simple et naturelle », précisa l'une.
« Sans trucs ni machins dedans », spécifia une autre.
« Celle qui fait grandir », conclut une troisième.

Ratatouille se mit au travail
pour nourrir sa nouvelle famille.
Adieu, fille de papier !
Adieu, rêve de beauté !

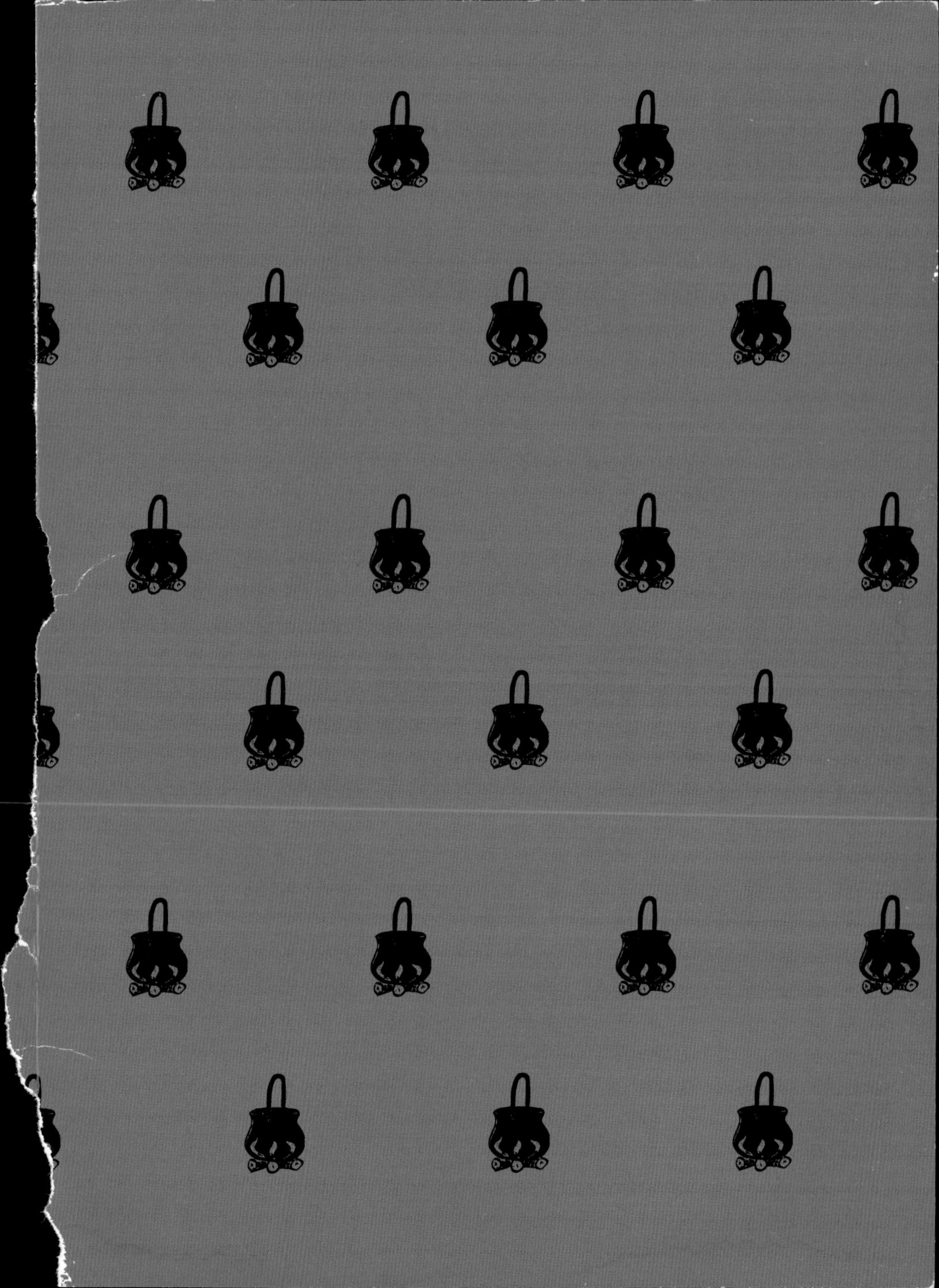